Les Égyptiens

Stephanie Turnbull
Maquette : Laura Parker
Illustrations : Colin King

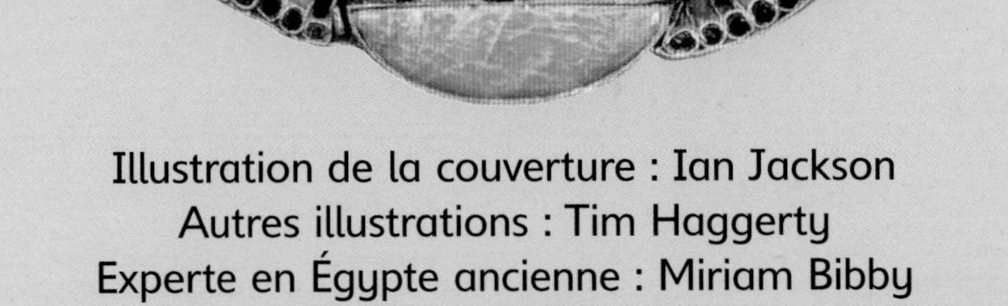

Illustration de la couverture : Ian Jackson
Autres illustrations : Tim Haggerty
Experte en Égypte ancienne : Miriam Bibby

Pour l'édition française : Traduction : Mylène Kümmerling
Rédaction : Renée Chaspoul et Helen Thawley

Sommaire

Des gens du passé

L'Égypte est un pays chaud d'Afrique du Nord. Les gens qui y vivaient il y a des milliers d'années sont les anciens Égyptiens.

Cette image vient d'une peinture murale d'Égypte ancienne. Elle représente un groupe de serviteurs.

Les peintures d'Égypte montrent souvent les choses de profil.

La vie fluviale

Les anciens Égyptiens construisaient leurs villes et villages le long d'un fleuve appelé le Nil.

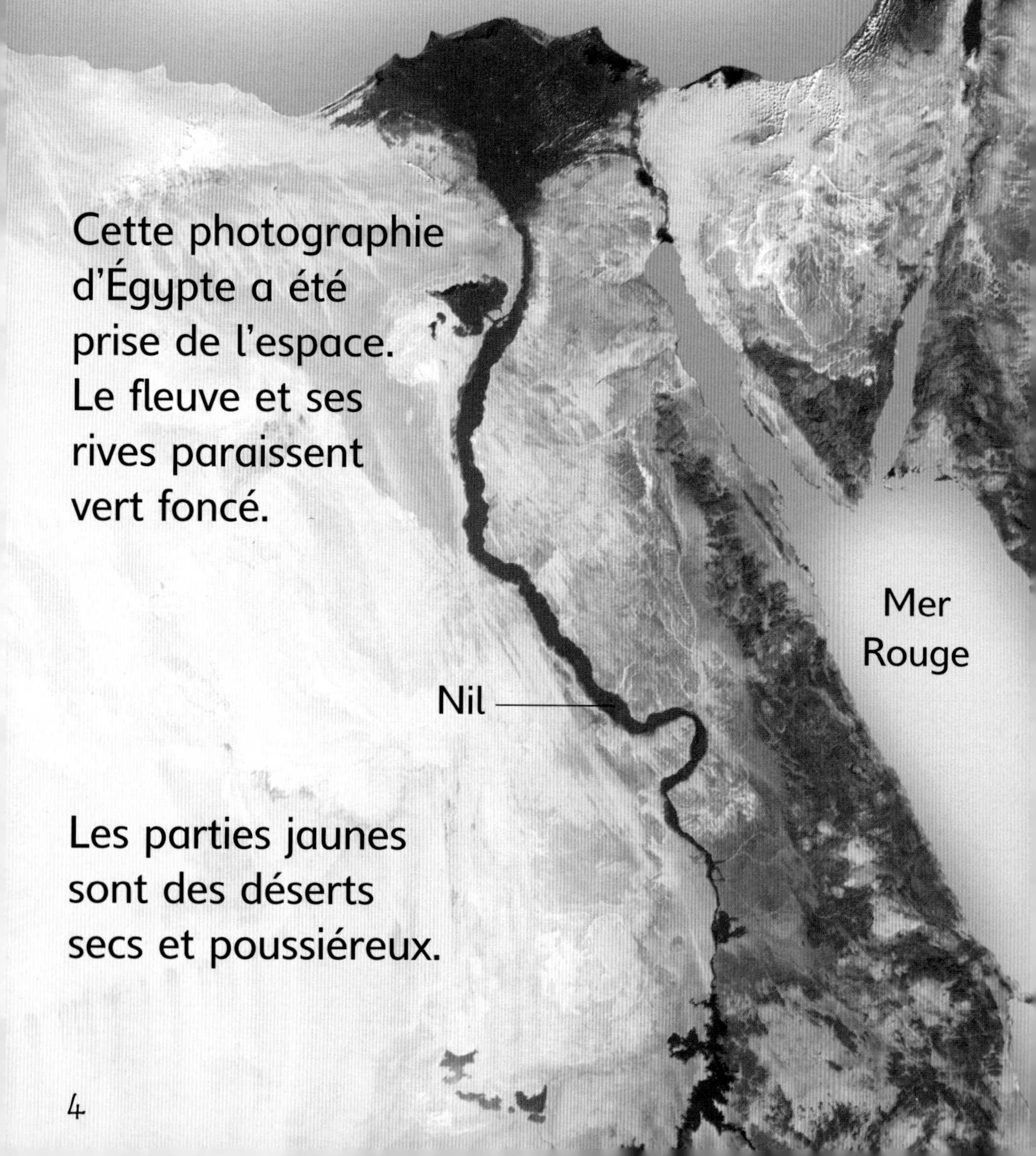

Cette photographie d'Égypte a été prise de l'espace. Le fleuve et ses rives paraissent vert foncé.

Mer Rouge

Nil

Les parties jaunes sont des déserts secs et poussiéreux.

Les anciens Égyptiens naviguaient sur le fleuve et y pêchaient.

Ils buvaient son eau et y lavaient aussi leurs habits.

Voici un modèle de bateau d'Égypte ancienne.

On nageait dans le Nil, mais en prenant garde aux crocodiles.

Les paysans

Les paysans égyptiens cultivaient fruits, légumes et autres plantes sur les rives du Nil.

Cette peinture représente des paysans cueillant le raisin qu'ils ont planté.

On dressait des singes pour cueillir et faire tomber les fruits des arbres.

Le Nil débordait chaque année, rendant le sol bon pour cultiver des plantes.

Quand la terre séchait, les plantes poussaient au soleil. Le travail aux champs était dur.

Les paysans gardaient une partie de la récolte et vendaient le reste au marché.

À la maison

Les maisons des Égyptiens étaient en terre séchée et peintes en blanc.

De petites fenêtres protégeaient les gens du soleil.

On cuisait la nourriture et le pain à l'extérieur.

Certains avaient un bassin dans leur jardin, où ils gardaient des poissons pour les manger.

Les Égyptiens avaient des lits durs avec un appuie-tête en bois au lieu d'oreillers.

Les gens riches avaient souvent des serviteurs. Ce modèle les montre faisant du pain.

Les rois d'Égypte

Les rois égyptiens étaient appelés pharaons. Le pharaon était la personne la plus riche et la plus importante du pays.

Il faisait les lois et donnait des ordres.

Il menait ses soldats combattre l'ennemi.

Il partait chasser dans son char.

Il accueillait aussi les visiteurs étrangers.

Le pharaon portait une couronne, parfois ornée d'or et de joyaux.

Voici une peinture de Ramsès III. Il porte une couronne en or et une longue coiffe rayée.

Ramsès II avait un lion apprivoisé pour effrayer ses ennemis.

Dieux et déesses

Les anciens Égyptiens croyaient en de nombreux dieux et déesses.

Ces derniers ressemblaient parfois à des animaux. Cette déesse, Hathor, avait souvent la forme d'une vache.

Sur cette peinture murale, Hathor a des cornes de vache sur sa couronne.

Sekhmet, une féroce déesse guerrière.

Râ était le puissant dieu soleil.

Bès protégeait les enfants et les familles.

Maât était la déesse de la vérité.

Horus protégeait le pharaon.

Seth était le méchant oncle d'Horus.

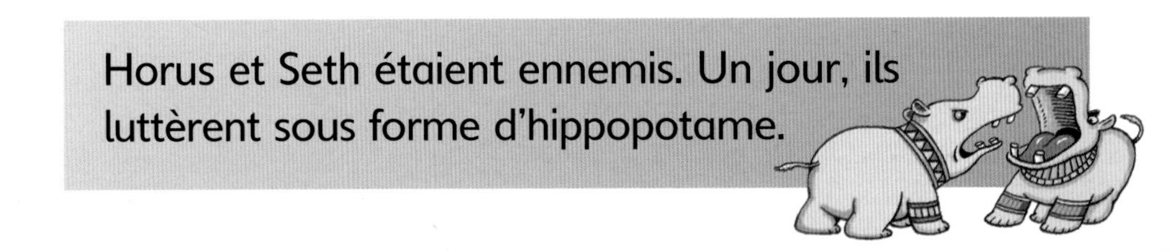

Horus et Seth étaient ennemis. Un jour, ils luttèrent sous forme d'hippopotame.

Les temples

Les Égyptiens bâtissaient d'immenses temples de pierre pour adorer pharaons et dieux.

Voici le temple du pharaon Ramsès II. Chaque statue à l'extérieur du temple mesure plus de dix fois la hauteur d'une personne.

Au temple, les prêtres priaient la statue d'un dieu ou d'un pharaon.

Les jours de fête, ils portaient la statue à travers la ville.

Voici une statue du dieu Anubis, qui pouvait se changer en un animal appelé le chacal.

Les gens avaient aussi de petites statues des dieux chez eux.

Faire une momie

Quand une personne importante mourait, son corps était enveloppé pour éviter qu'il pourrisse. Cela s'appelle faire une momie.

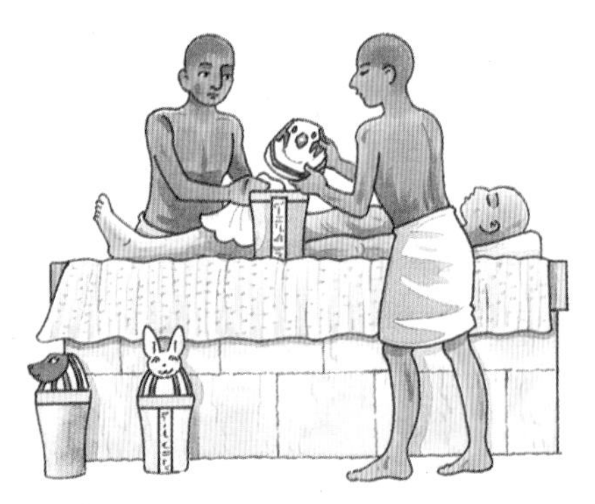

1. On sortait d'abord les entrailles pour les mettre dans des pots.

2. On mettait le corps dans du sel pour le dessécher.

3. On l'enveloppait étroitement dans des bandes.

4. On posait un masque sur la momie puis on la plaçait dans un cercueil.

On momifiait aussi des animaux.

On conservait les entrailles dans des pots avec des bouchons comme ceux-ci. Chacun a la tête d'un dieu.

Les cercueils avaient forme humaine et étaient couverts de sortilèges et d'images.

Les pyramides

Quand un pharaon mourait, on mettait son cercueil dans une énorme pyramide de pierre.

Ces grandes pyramides ont été bâties pour trois pharaons différents. Les petites étaient pour leurs familles.

Les ouvriers taillaient des blocs de pierre puis ils les tiraient.

Ils montaient les blocs par une rampe sur la pyramide.

Après des années, on posait la dernière pierre au sommet.

Enfin, les ouvriers rendaient la pyramide lisse et brillante.

Les tombes sous terre

Après de longues années, les Égyptiens cessèrent de bâtir des pyramides. Ils les remplacèrent par des tombes souterraines.

1. D'abord, les ouvriers creusaient un long tunnel dans une falaise.

2. Ils taillaient des chambres et des couloirs sous terre.

3. Ils peignaient les murs et remplissaient les salles de trésors.

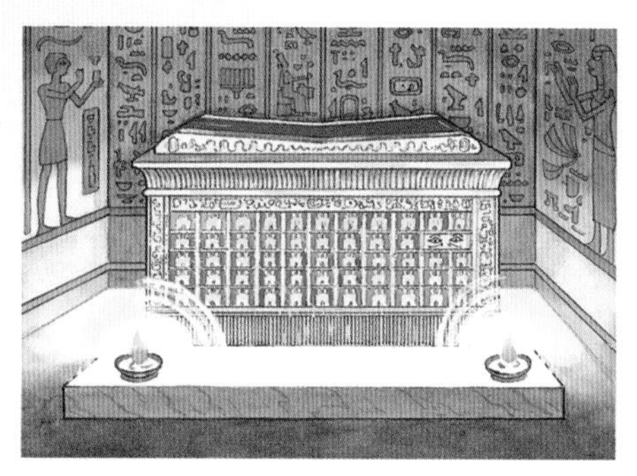

4. Ils posaient le cercueil dans un sarcophage.

Voici la tombe d'un homme nommé Pachedou. Son cercueil est dans la chambre derrière la voûte.

Des voleurs forçaient les tombes et pyramides pour voler les trésors.

Un trésor caché

La tombe du pharaon Toutankhamon resta cachée pendant des milliers d'années.

En 1922, on découvrit une porte dissimulée par des rochers.

Derrière, il y avait des salles pleines de trésors scintillants.

Il fallut dix ans pour vider la tombe et lister tous ses trésors.

On trouva ce faucon parmi les nombreuses statues de la tombe.

Ce masque,
grand et lourd,
couvrait le visage
de la momie de
Toutankhamon.

Il est en or
avec de fines
rayures en
verre.

Jeux et activités

Les Égyptiens aimaient les sports, les jeux, la musique, la danse et les fêtes.

Certains jouaient d'un instrument, comme cette harpe.

Les hommes aimaient beaucoup les concours de bateau sur le Nil.

L'équipe qui parvenait à renverser l'autre bateau avait gagné.

Cette peinture montre un homme qui chasse avec sa famille. Il se tient sur un bateau et lance un bâton sur les oiseaux.

Lors des fêtes, les gens appréciaient les danseurs, qui exécutaient des figures compliquées.

Les vêtements

Les Égyptiens aimaient se faire beaux. Ils portaient des habits simples, légers et beaucoup de bijoux.

Ce large collier en or a la forme d'un oiseau. Il a été fait pour un pharaon.

On se posait souvent de la graisse parfumée sur la tête. En fondant, cela sentait bon.

Les gens portaient des jupes et robes amples et légères contre la chaleur.

Ils aimaient aussi se parer de bagues, bracelets, colliers et autres bijoux.

Tout le monde se maquillait. Les yeux étaient cernés de larges traits noirs.

Beaucoup se rasaient la tête à cause de la chaleur. Les adultes portaient une perruque.

L'écriture égyptienne

L'écriture égyptienne était faite de nombreuses images appelées hiéroglyphes.

Les scribes savaient lire et écrire les hiéroglyphes. La statue ci-dessous représente un scribe.

Le scribe écrivait des lettres et tenait les archives.

Il apprenait aussi à lire et à écrire aux enfants.

Ces hiéroglyphes ont été peints sur une tombe. Ce sont des formules qui protègent un mort.

La plupart des gens ordinaires ne savaient pas lire les hiéroglyphes.

Vocabulaire

Voilà quelques mots du livre que tu ne connais peut-être pas, avec leur définition.

pharaon – le titre que les anciens Égyptiens donnaient à leur roi.

temple – un endroit où les Égyptiens adoraient les dieux et les pharaons défunts.

prêtre – une personne travaillant dans un temple. Les prêtres priaient les statues.

momie – un corps qui a été desséché pour être préservé pendant de nombreuses années.

tombe – un endroit sous terre où une personne était enterrée.

scribe – une personne dont le travail était de lire et d'écrire.

hiéroglyphe – une image ou un symbole. Les Égyptiens s'en servaient pour écrire.

Sites Web

Si tu as un ordinateur, tu peux chercher sur Internet d'autres informations concernant les anciens Égyptiens. Sur le site Quicklinks d'Usborne, tu trouveras des liens vers quatre sites pour t'amuser.

Site 1 – Imprime des dessins égyptiens à colorier.

Site 2 – Teste tes connaissances sur l'Égypte ancienne.

Site 3 – Découvre ton nom en hiéroglyphes.

Site 4 – Apprends à connaître plein de dieux et déesses égyptiens.

Pour accéder à ces sites, connecte-toi au site Web Quicklinks d'Usborne sur **www.usborne-quicklinks.com/fr**. Lis les conseils de sécurité et tape le titre du livre.

Les sites Web sont examinés régulièrement et les liens donnés sur le site Quicklinks d'Usborne sont mis à jour. Les éditions Usborne déclinent toute responsabilité concernant la disponibilité ou le contenu de tout site autre que le leur. Nous recommandons d'encadrer les enfants lorsqu'ils utilisent Internet.

Index

Remerciements

Images numériques : Emma Julings

Crédits photographiques

Les éditeurs remercient les personnes et organismes suivants pour l'autorisation de reproduire leurs documents : © **Alamy** 18-19, 31 (Brian Lawrence) ; © **The Ancient Art and Architecture Collection Ltd** 12 ; © **The Art Archive** 17b (Musée du Louvre Paris/Dagli Orti) ; © **Copyright The British Museum** 5, 17h, 24 ; © **Corbis** 2-3, 6, 9, 21 (Gianni Dagli Orti), 1, 15, 22 (Sandro Vannini), 25 (Archivo Iconografico, S.A.), 26 (Bettman), 28 (Roger Wood), 29 (Wolfgang Kaehler) ; © **Digital Vision** quatrième de couverture ; © **Getty Images** 14 (Richard Passmore), 23 (Alvis Upitis) ; © **Heritage Images** 11 (The British Library) ; © **NASA** 4 (Jacques Descloitres, MODIS Land Science Team)

Tous les efforts ont été faits pour retrouver et remercier les propriétaires de copyright. L'éditeur s'engage à rectifier toute omission éventuelle, s'il en est informé, dans toutes rééditions à venir.